D1404636

Henriette Major

un
jour,
une rivière

images de Pierre Cornuel

éditions La Farandole
11 bis rue de La Planche. 75007 Paris

Il y a très longtemps, dans un coin de campagne où il n'y avait que des champs et des arbres, passait une rivière. C'était une rivière tranquille et paresseuse, qui s'étirait lentement entre des rives en pente douce. Elle servait de refuge à beaucoup de poissons: carpes, dorés, truites. Des grenouilles coassaient dans les hautes herbes pendant que les oiseaux chantaient dans les branches des saules voisins. Cette eau claire qui coulait sans repos faisait que les berges étaient vertes et les animaux heureux parce qu'ils avaient à boire et à manger.

Un jour, un petit garçon qui avait marché très longtemps découvrit la rivière. Cet enfant était un Indien Algonquin. Il installa sa tente sur la rive, il pêcha quelques poissons pour son dîner et se reposa à l'ombre des saules.

«Cet endroit est beau et tranquille, cette rivière est jolie et remplie de poissons, se dit le petit Indien. Il n'y a personne aux alentours. Je suis donc le maître de cette rivière puisque j'ai été le premier à la trouver. Je déclare que la rivière est à moi.»

Vers le soir, le petit Indien retourna quand même dans son village car il n'était pas encore assez grand ni assez brave pour coucher tout seul dans les bois.

Près du feu de camp, le petit Indien raconta son aventure à son grand-père qui était vieux et sage.
– Grand-père, dit-il, aujourd'hui, j'ai trouvé une rivière : maintenant que je l'ai trouvée, elle est à moi, elle m' appartient.

Le grand-père fuma un moment sa pipe, puis répondit : – Mon petit, l'eau n'appartient à personne ; elle est à tout le monde.

Le petit Indien n'osait pas discuter avec le vieux grand-père, mais il se disait: «Le grand-père est trop vieux, il radote. Cette rivière est à moi, rien qu'à moi.» Et chaque jour, il repartait vers sa rivière, délaissant ses jeux et ses compagnons. Et chaque soir, il en revenait avec quelques poissons, chaque fois plus convaincu que la rivière n'appartenait qu'à lui seul.

Le grand-père qui l'observait lui proposa:
— Puisque cette rivière t'appartient, tu devrais bien
l'explorer. Si tu veux, nous partirons tous les deux
en canot d'écorce, et nous essaierons d'en suivre
le cours.

Le petit Indien était ravi de cette idée: rien ne lui faisait plus plaisir que de parcourir sa rivière, et la compagnie du grand-père l'amusait bien parce que le grand-père connaissait beaucoup de choses. Ils partirent donc un beau matin, le canot rempli de provisions pour une semaine. Ce matin-là, la rivière brillait dans sa robe d'argent, et le petit Indien en était fier: on aurait dit qu'elle s'était faite belle pour saluer son aventure.

— Nous allons d'abord remonter la rivière pour voir d'où elle vient, dit le grand-père.

C'était difficile de remonter le cours de l'eau à force d'aviron, mais le petit Indien ne voulait pas avouer qu'il était fatigué.

Vers la fin du jour, ils rencontrèrent un troupeau de chevreuils en train de s'abreuver.

– Tu vois, dit le grand-père, la rivière appartient aussi aux animaux qui viennent y boire.

Le petit Indien se dit qu'il voulait bien partager la rivière avec les chevreuils: il y avait tant d'eau, après tout.

Le lendemain, ils arrivèrent à un lac.

– La rivière appartient au lac, puisque c'est du lac qu'elle tire son eau, dit le grand-père.

Le petit garçon se dit qu'il fallait bien partager la rivière avec le lac, sinon, où prendrait-elle son eau?

Plus tard lorsqu'ils redescendirent lentement le courant, ils trouvèrent une colonie de castors en train de construire un barrage miniature.

– La rivière appartient aussi aux castors, dit le grand-père: le castor construit des digues pour protéger sa maison bâtie sur la rivière. Regarde comme il sait bien nager.

Le petit Indien ne pouvait refuser de partager sa rivière avec des animaux aussi sympathiques que les castors.

Se laissant porter par le cours de la rivière, ils aperçurent tout à coup un martin-pêcheur en train de pêcher des poissons avec son bec.

– La rivière appartient aussi aux oiseaux qui se nour-
rissent de poissons, dit le grand-père. Regarde le
martin-pêcheur, comme il est habile à trouver sa
nourriture dans l'eau.

« Le martin-pêcheur ne me dérange pas, se dit le
petit Indien. Il peut pêcher dans ma rivière. »

Poursuivant leur promenade, ils rencontrèrent un village indien: des enfants se baignaient, des femmes puisaient de l'eau dans des récipients d'écorce, des hommes tendaient des filets pour attraper des poissons.

– La rivière appartient à tous les humains qui ont besoin d'elle pour boire, pour se laver ou pour pêcher, dit le grand-père. Si nous continuons à descendre le cours de l'eau, nous rencontrerons d'autres villages, d'autres animaux, d'autres créatures à qui la rivière appartient tout autant qu'à toi.

Le petit Indien réfléchit longuement aux remarques de son grand-père. Ils passèrent la nuit dans le village ami.

Le lendemain, quand ils furent embarqués dans le canot, les grenouilles se mirent à coasser en chœur.

– Grand-père, dit le petit Indien, la rivière appartient aux grenouilles puisqu'elles y chantent. Mais je crois qu'après tout la rivière appartient surtout aux poissons qui y vivent tout le temps.

Le grand-père sourit, car son petit-fils venait de
comprendre une chose importante: l'eau est à tout
le monde, tout comme le soleil.

Tous droits de traduction,
d'adaptation et de reproduction réservés.
© Éditions La Farandole, 1978

Dépôt légal: 3ème trimestre 1978.
Printed in the German Democratic Republic
par Sachsendruck Plauen.
Loi n° 49.956 du 16. 07. 49
sur les publications destinées à la jeunesse.

ISBN 2-7047-0088-5

P
FR
82-1898

DO NOT REMOVE CARDS
FROM POCKETS

WELLAND PUBLIC LIBRARY
Boys' and Girls' Dept.

RULES

Books are on loan to you for four weeks. There will be a charge for books kept overdue. After six weeks you will be charged 50 cents for each book plus $3.00 service charge.

Lost and damaged books must be paid for.

J-0021